THIS BOOK BELONGS TO

____

Have questions? We want to hear from you!
Email us at: support@activitywizo.com

Please consider writing a review!
Just visit: activitywizo.com/review

Black Page Added to Prevent Bleed-Through
When Using Colored Markers

FREE BONUS

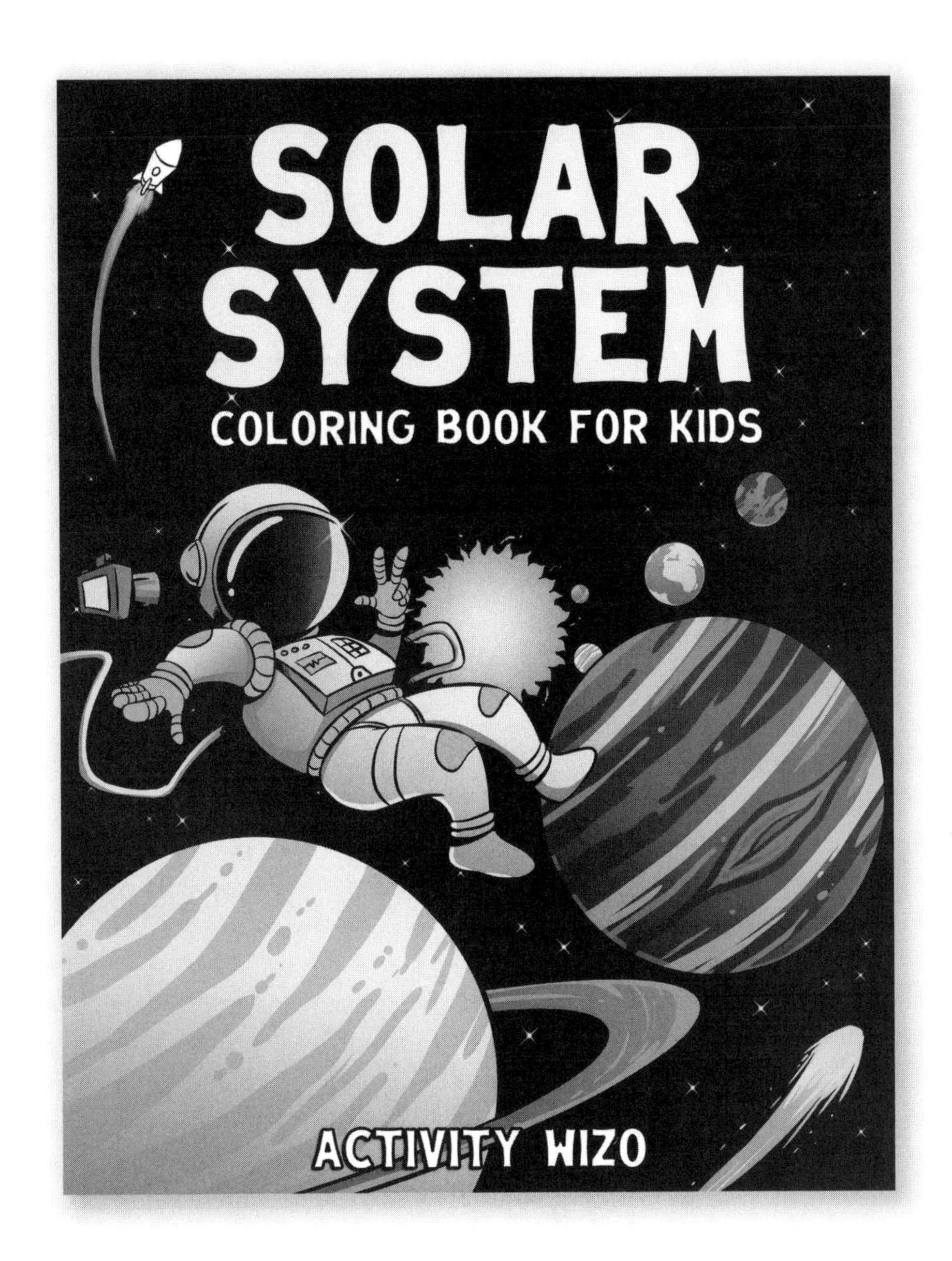

Just flip to the end of the book to get the link!

1 BLUE

2 BROWN

3 ORANGE

4 YELLOW

1 YELLOW

2 PURPLE

3 PINK

4 ORANGE

1 YELLOW

2 ORANGE

3 GREEN

4 BROWN

Black Page Added to Prevent Bleed-Through
When Using Colored Markers

1 GREEN
3 YELLOW
2 BROWN
4 ORANGE

Black Page Added to Prevent Bleed-Through
When Using Colored Markers

(1) GREEN

(2) WHITE

(3) PURPLE

(4) YELLOW

Black Page Added to Prevent Bleed-Through
When Using Colored Markers

1 GRAY
3 GREEN
5 BLUE
2 WHITE
4 ORANGE
6 PINK

1. PINK
2. PURPLE
3. ORANGE
4. GREEN
5. YELLOW
6. BLUE

1 BLUE
3 GREEN
5 ORANGE
2 RED
4 WHITE

1 WHITE
3 PINK
5 BLUE
2 GREEN
4 YELLOW

1 PINK
3 ORANGE
5 YELLOW
2 PURPLE
4 GREEN
6 BLUE

Black Page Added to Prevent Bleed-Through
When Using Colored Markers

1 RED
3 ORANGE
5 YELLOW
7 PURPLE
2 BROWN
4 GREEN
6 BLUE
8 PINK

1 RED	3 ORANGE	5 YELLOW	7 PURPLE
2 GRAY	4 GREEN	6 PINK	8 BROWN

Black Page Added to Prevent Bleed-Through
When Using Colored Markers

1 PINK
3 ORANGE
5 BROWN
7 PURPLE
2 BLUE
4 YELLOW
6 RED
8 GRAY

1 PINK	3 PURPLE	5 WHITE	7 ORANGE
2 BLUE	4 GREEN	6 RED	8 BROWN

Black Page Added to Prevent Bleed-Through
When Using Colored Markers

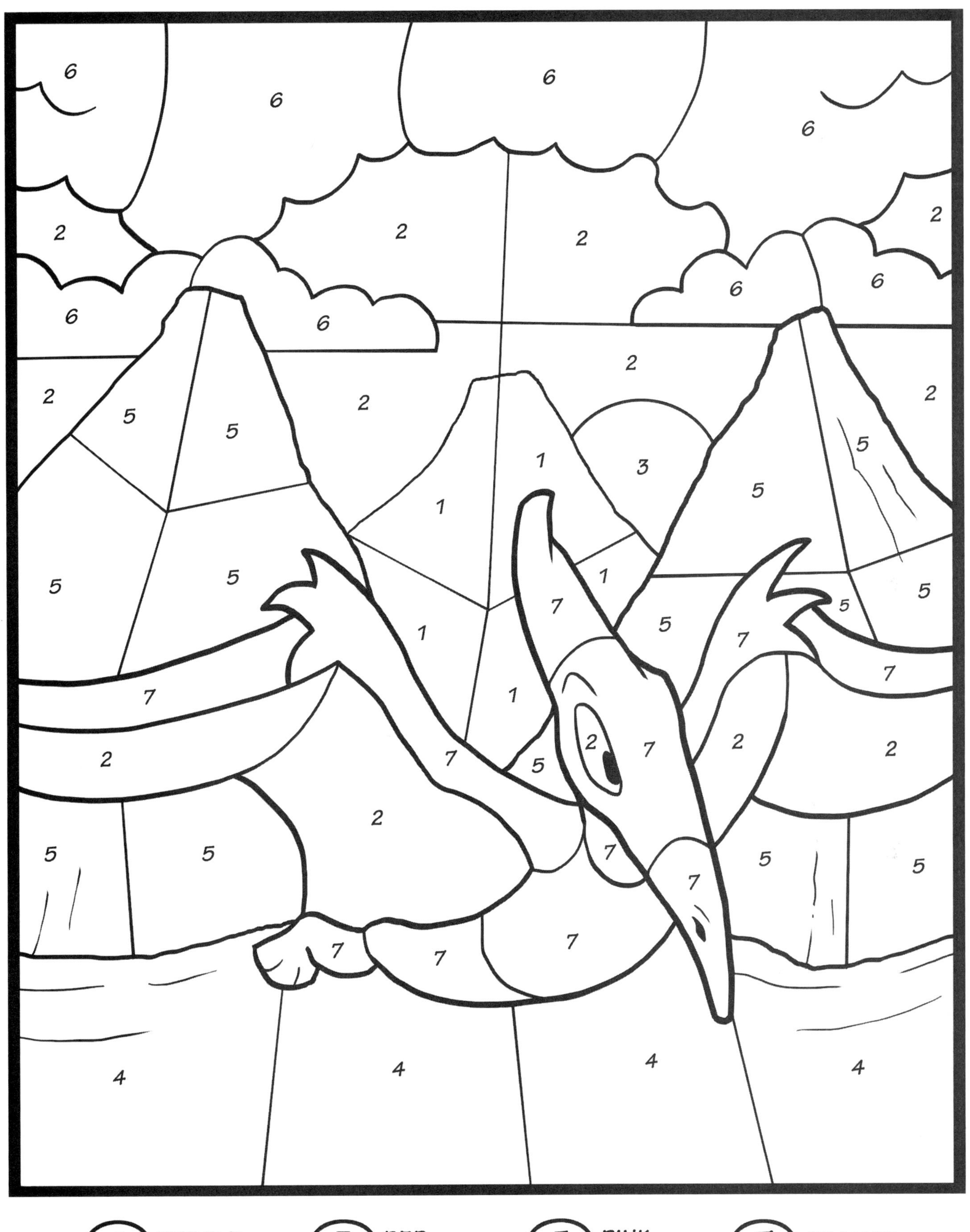

1 PURPLE
3 RED
5 PINK
7 ORANGE
2 YELLOW
4 BLUE
6 WHITE

Black Page Added to Prevent Bleed-Through
When Using Colored Markers

1 PINK	3 BROWN	5 YELLOW	7 ORANGE
2 BLUE	4 GREEN	6 RED	8 WHITE

Black Page Added to Prevent Bleed-Through
When Using Colored Markers

1 BROWN
3 PURPLE
5 PINK
7 GREEN
2 BLUE
4 ORANGE
6 YELLOW

Black Page Added to Prevent Bleed-Through
When Using Colored Markers

1 GREEN	3 YELLOW	5 BLUE	7 BROWN
2 PINK	4 WHITE	6 PURPLE	8 ORANGE

1 PURPLE
3 YELLOW
5 BLUE
7 BROWN
2 ORANGE
4 WHITE
6 GREEN

1 WHITE
2 RED
3 YELLOW
4 PINK
5 BLUE
6 BROWN
7 GREEN

Black Page Added to Prevent Bleed-Through
When Using Colored Markers

1 WHITE
2 ORANGE
3 YELLOW
4 PURPLE
5 GRAY
6 GREEN
7 BROWN
8 RED

Black Page Added to Prevent Bleed-Through
When Using Colored Markers

(1) WHITE	(3) BLUE	(5) RED	(7) YELLOW
(2) GRAY	(4) GREEN	(6) PINK	(8) BROWN

Black Page Added to Prevent Bleed-Through
When Using Colored Markers

1 GREEN
3 BLUE
5 YELLOW
7 RED
2 PURPLE
4 WHITE
6 ORANGE
8 BROWN

1 WHITE
3 ORANGE
5 GREEN
7 BLUE
2 RED
4 YELLOW
6 PURPLE

1 GREEN
2 BLUE
3 PINK
4 YELLOW
5 WHITE
6 ORANGE
7 RED

Black Page Added to Prevent Bleed-Through
When Using Colored Markers

1 GREEN	3 BROWN	5 WHITE	7 RED
2 YELLOW	4 BLUE	6 ORANGE	8 GRAY

1 BLUE	3 RED	5 GREEN	7 WHITE
2 YELLOW	4 BROWN	6 ORANGE	

1 GREEN
3 BROWN
5 WHITE
7 RED
2 YELLOW
4 BLUE
6 ORANGE

Black Page Added to Prevent Bleed-Through
When Using Colored Markers

1 GRAY
3 BLUE
5 WHITE
7 GREEN
2 YELLOW
4 BROWN
6 ORANGE
8 RED

Black Page Added to Prevent Bleed-Through
When Using Colored Markers

1 PURPLE
3 BLUE
5 WHITE
7 GREEN
2 YELLOW
4 BROWN
6 ORANGE

1 PURPLE
2 YELLOW
3 BLUE
4 BROWN
5 WHITE
6 ORANGE
7 GREEN

Black Page Added to Prevent Bleed-Through
When Using Colored Markers

1 BROWN	3 GRAY	5 WHITE	7 GREEN
2 YELLOW	4 RED	6 PINK	8 BLUE

Black Page Added to Prevent Bleed-Through
When Using Colored Markers

(1) BROWN (3) GRAY (5) BLACK (7) GREEN

(2) YELLOW (4) RED (6) ORANGE

Black Page Added to Prevent Bleed-Through
When Using Colored Markers

1 GREEN
3 WHITE
5 ORANGE
7 GRAY
2 YELLOW
4 RED
6 BLUE

Black Page Added to Prevent Bleed-Through
When Using Colored Markers

1 GREEN
3 BROWN
5 ORANGE
7 WHITE
2 YELLOW
4 BLUE
6 RED

1 ORANGE	3 BROWN	5 GREEN	7 WHITE
2 RED	4 YELLOW	6 BLUE	8 GRAY

Black Page Added to Prevent Bleed-Through
When Using Colored Markers

1 BLUE
2 GREEN
3 BROWN
4 WHITE
5 RED
6 ORANGE
7 YELLOW

1 WHITE
3 YELLOW
5 GRAY
7 BROWN
2 ORANGE
4 BLUE
6 GREEN

Black Page Added to Prevent Bleed-Through
When Using Colored Markers

1 GRAY
3 BROWN
5 BLUE
7 RED
2 YELLOW
4 GREEN
6 ORANGE

Black Page Added to Prevent Bleed-Through
When Using Colored Markers

1 BLUE	3 YELLOW	5 RED	7 GREEN
2 ORANGE	4 WHITE	6 BROWN	

Black Page Added to Prevent Bleed-Through
When Using Colored Markers

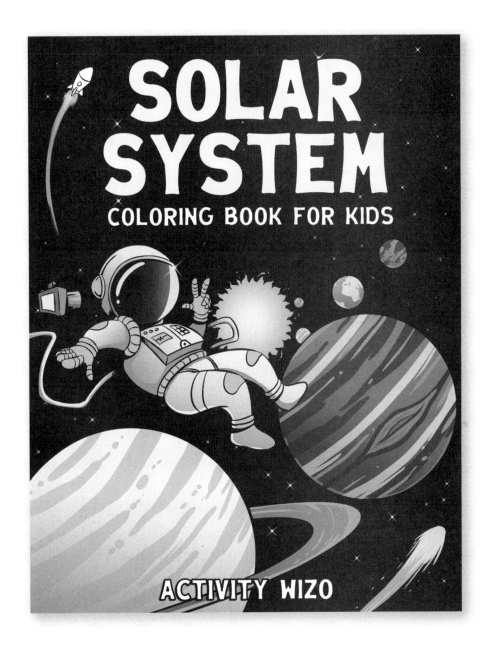

THANK YOU!

Have questions? We want to hear from you!
Email us at: support@activitywizo.com

Please consider writing a review!
Just visit: activitywizo.com/review